내 머리 위에

나무가 자란다

내 머리 위에 나무가 자란다

2020년 12월 12일 초판 1쇄 발행
2020년 12월 12일 초판 1쇄 인쇄

지은이   │임훈

인쇄   │아레스트 (s-lin@hanmail.net)

펴낸이   │이장우
펴낸곳   │꿈공장 플러스
출판등록   │제 406-2017-000160호
주소   │서울시 성북구 보국문로 16가길 43-20 꿈공장 1층
전화   │010-4679-2734
팩스   │031-624-4527
이메일   │ceo@dreambooks.kr
홈페이지   │www.dreambooks.kr
인스타그램   │@dreambooks.ceo

꿈공장✛ 출판사는 모든 작가님들의 꿈을 응원합니다.
꿈공장✛ 출판사는 꿈을 포기하지 않는 당신 곁에 늘 함께하겠습니다.

ISBN │979-11-89129-75-0

정 가 │12,500원

내
머
리
위
에

나
무
가
자
란
다

1부
나무를 사랑한 소년

4부

꽃은 시들어도 별은 지지 않는다

시인의
말 ●●●

태양이 우리 인생에서
얼마나 중요한지 알고 있습니다.

너무 가까이 가면 타버리고
너무 멀리 있으면 식어 버리듯이
얻고 터득하기는 쉬워도
지니고 간직하는 것은 어렵습니다.

그때마다 "나는 시를 써야겠다"고 생각했습니다.
내 머리 위에 영적인 나무가 자랄 수 있도록
기도를 하고
사진을 찍고
그림을 그렸습니다.

지금도 말없이 자신의 자리를 지키는
숲 속의 나무들처럼 행복이 넘치는
인생 이야기를 전하려고 합니다.

시집이 나오기까지 힘써 주시고 도움 주신
모든 분께 감사의 마음을 전합니다!

1. 어제는 오늘이 되어서
2. 너를 닮은 하늘
3. 마주 보며

1	2	3
4	5	6

1. 양보

2. 사랑은 시들지 않는 꽃

3. 기도의 단상

4. 이별 앞에서

5. 이방인

6. 걸어 두고서

1. 그대를 위한 세상

2. 사랑 그 이름으로

3. 기다리는 마음

4. 빵 한 조각

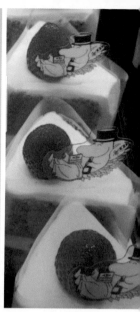

1. 산 그 높은 산   2. 한세월

3. 한 걸음씩

1	2
3	

1
부

나무를 사랑한 소년

시를 쓰는 소년

바람의 시는
소년의 기억 속에서
간직한 꿈

별들의 시는
소년의 눈빛 속에서
반짝이는 희망

꽃들의 시는
소년의 마음속에서
가장 아름답고 행복한 순간

나무들의 시는
소년의 모습 속에서
변치 않는 우정
헌신적인 사랑

바다의 시는
소년의 가슴속에서
파도 소리 들으며
밤을 지키는 등대
믿음에 대한 약속

하늘의 시는
소년의 영혼 속에서
순수한 천사를 부르는 나팔 소리
지상으로 내려올 때까지
아직 못다 한 사랑
끝나지 않은 이야기

푸른 하늘

소년의 마음은
구름을 품은 푸른 하늘

높고 푸른 산
깊고 푸른 나무
넓고 푸른 바다

세상을 담은 푸른 눈빛
살아서 숨을 쉬는 푸른 빛깔

소년의 마음은
어른이 되어도
사랑을 품은 파란 하늘

나무가 좋아서

그대가 좋아서 그대를 사랑합니다
나무가 좋아서 나무를 사랑합니다

느낌이 좋아야 사랑이 시작되고
편안하게 해주어야 사랑이 지속됩니다

그런 내가 되어주고 그런 나무가 되어야
비로소 아름다운 사람 소중한 사랑이 됩니다!

나무를 사랑한 소년

소년에게

저 푸르름의 하늘을 녹여서
아이스크림을 만들어 줄게

저 따사로움의 햇살을 가져다
초콜릿 쿠키를 구워줄게

높고 따뜻한 세상 속에서 달콤한 사랑
온 누리에 번져 간다

소년아!

세월이 흘러 흘러
홀로 되어 지팡이 하나에 의지할지라도
이것만큼은 잊지 말아라

네가 있으므로 해서 평생의 숙원을 이루었다

그것은
잘 자라서 어른이 되어 준 것이다!

하얀 꿈

꿈속으로 아기처럼
잠이 들면

하얀 꽃 나비가 되어
날아가고

침묵 속에 빠져들면
연기처럼 사라지는
그녀의 향기

안갯속에 젖어드는
이슬 한 방울

오래 간직한 하얀 꿈

내 머리 위에 나무가 자란다

꿈을 꾸는 순수한 아기
엄마 품에서 웃는다

하늘을 날아다니는 새들의 노랫소리처럼
세상은 평화롭고 향기로운 꽃들로 가득하다

하늘의 말씀이 빛으로 오셔서
어린 나무에게 비를 내려 주면
어둠의 평온함이 깃든다

키 크는 나무 한 그루
가지마다 영적인 열매가 열리면

하늘의 신성 우주의 소녀는
별이 되어 숲 속에서 잠든다

천국의 아침을 기다리는
꿈을 꾸는 순수한 소년
머리 위에 나무가 자란다

소년의 사랑

별이 떨어지는 날에는 문밖에서
어머니를 기다렸다
그의 눈에 눈물이 가득 고이면
작은 손으로 어깨를 주물러 드렸다

감나무에 홍시가 붉게 익어갈 즈음
우수에 가득 찬 가을이 온다
어린 강아지 성견이 되어 집을 지키고
소년의 여린 솜털은 거친 턱수염으로 자란다

짝사랑 소녀에게 순정을 다 바쳐
사랑하고
단 한 번의 이별이 이 세상과 마지막
인사라고 생각했었다

내 곁에서 영원할 줄 알았던
나의 큰 별이 아주 먼 길을 떠났다
돌아온다는 기약 없이 매일 밤
그 별을 바라보며 어머니를 기다린다

　　　　　　　나무를 사랑한 소년

글 한 줄에 음악이 흐른다

어둠의 시기와 질투 속에서
깃털처럼 가벼운 아침이 온다

간밤에 다녀간 바람의 흔적들은
피아노 건반 위에서 환희에 가득 찬
사랑의 감정을 싣고서 되뇌면
글 한 줄에 음악이 흐른다

지나간 시간을 잊지 못해
차마 말 한마디 못하고서
밤이 올 때까지 기다렸다가
별들의 이야기를 들을 수 있는
아름다운 야생화가 핀다

쓸쓸함이 더해지는 이 고요한 밤에
계절의 깊이를 더해가는 이 적막함 속에

오늘 이 순간을 두고두고
기억하고 사랑해야겠다

보리수

저 언덕 넘어 조그만 집에
귀엽고 키 작은 처녀가 산다네

그녀는 손수건을 흔들며
보리수 가을 들판을 웃으며
달려간다네

나도 따라서
웃으며 뛰어간다네

검정 고무신 벗겨졌다가
다시 고쳐 신다가 이내 두 손으로
쥐고서 맨발로 따라간다네

부는 바람에
보리수 한쪽으로 기우는데

내 마음은 귀엽고
키 작은 그녀로 가득 차있네

나무를 사랑한 소년

기적의 기도

앞 못 보는 소녀야!
눈 떠져라

저 찬란한 햇빛이 네 것이란다

걷지 못하는 소년아!
일어서서 걸어라

저 광활한 들판이 네 것이란다

소녀야! 울지 말아라
소년아! 슬퍼하지 말아라

그 기도를 들어주실 분은 단 한 분이란다

아침에 찾아온 사람

아침에 찾아온 사람은
봄비

숲 속의 단잠을 깨우고

아침에 찾아온 사람은
포근한 햇살
나른한 오후

아침에 찾아온 사람은
여름밤의 열기
한참 동안 내리는 빗줄기를
바라보다가

푸른 하늘을 품은 나무 한 그루 !

초록 빛깔 풀 내음
솔잎 향기
I miss you dreadfully

해바라기

온종일 웃고 또 웃고 있었다

너의 밝고 청량한 웃음소리

그 기쁨 어디서 나오는 걸까?

지친 기색도 없이 떠도는 바람도
신기한 듯 바라본다

태양 속으로 걸어 들어갔다가

둥근 해가 되어 돌아온 해바라기

배신을 모르고 살아온 너였기에 또다시
너의 굳은 결의가 빛난다

나만 바라보는 너는

나의 사랑 없이 단 하루도 살지 못한다!

너의 말 한마디

너의 따뜻한 말 한마디
기쁨의 시작

너의 간절한 말 한마디
기도의 응답

너의 떨리는 말 한마디
순수한 고백

너의 용기 있는 말 한마디
살아가는 이유

너의 친절한 말 한마디
나를 웃게 만드는 하루!

나무를 사랑한 소년

초록 풀잎

아무렇게나 피었어도
누군가를 원망해본 적 없어요

받는 것에 인색하고
주는 것에 기쁨을 느껴요

힘이 들어도
견딜만합니다

뿌리를 남겨 두고
누군가 필요한 만큼만
잘라 간다 할지라도

기꺼이 내줄 수 있는 마음으로
살아갑니다.

신이 나에게 허락한 것은
너는 빈약하나
너를 취하는 자는 생명이라고 했습니다

수박고래

한여름의 예쁜 수박
빨갛게 익을 때까지 기다려보자

푹푹 찌는 태양 아래
큰 바다 잔잔하고 수염고래
헤엄치고 논다

깨알만 한 소년의 입으로 수박씨 허공에
뱉을 적마다 고래 등에서 뿜어 나오는
분수 같은 물줄기

수염 난 고래 아저씨
빨간 수박 속에 단물 한가득
사랑 한가득 쩌억 갈라지며 환하게 웃는다

나무를 사랑한 소년

자작나무

펜둘라 자작나무 숲을 걸어간다

고요함 속에서 수줍은 모습을 뒤로한 채
살며시 웃고 있는 나뭇잎이 아름답다

지조 있는 갈치 빛 은색이 겉껍질을
감싸고 돌다가 중간에 박혀 있는
검은 눈동자로 세상을 들여다본다

하늘을 섬길 줄 아는 겸손함은
어디서 가져 왔는지
그 주위마저 물려 놓고 여유를
던져 주니 바라보는 내가 평화롭다 못해
울 뻔 하였다

스스로 지나가는 세월 앞에
가능한 소리 내지 않으며
소문내지 않으며 이 길을 조용히
걷고 싶다

키 크는 사다리

작은 키가 자라서
달과 별의 이야기를 듣고
그 뜻이 하늘에 닿게 하리라

작은 손이 자라서
생명의 흙에게 씨앗을 뿌리고
비옥한 대지 위에 숲이 되어라

작은 발이 자라서
큰 세상에 나아갈 적에
희망의 꿈을 향해서 끝없이 걷고
뛰게 하리라

작은 마음이 자라서
이 세상 모든 평화와 기대 속에서
모든 사람을 사랑하리라

이 중에 부족했던 것이 있다면
사다리를 타고 올라가자

나무를 사랑한 소년

바람에 실려서

잘 잤니? 꼬마야
어제 부는 찬바람에 춥지는 않았어?
너 참 아름답다
노란색 내가 참 좋아하는 색깔이야
너 참 대단한 것 같다
저 높고 가파른 성벽까지 어떻게 올라간 거야
그 씨앗을 옮겨다 준 이는 누구일까?
설마 혼자의 힘으로 올라간 것은 아니겠지?

아저씨! 저는 말예요
이곳에서 피고 지면서 한오백년은 산 것 같아요
사람들이 서로 다른 언어를 하며
싸우는 것도 봤고요
어떤 왕이 무릎 꿇고 눈물 흘리는 것도 봤어요
저는 어차피 이름 없이 피었다가
바람에 실려 씨앗으로 남을 거예요
아저씨의 운명도 저와 다를 것이 없을 거예요
인생 바람에 실려 가는 한 알의 씨앗처럼
아저씨와 같은 사람이 죽고 또 태어나잖아요!

눈꽃

그대와 내가 만나 이루는 꿈
그 순결함의 꽃이여

한겨울
그 푸른 바다

흔적도 없이 사라지는
무채색 천사의 눈물

마른 나뭇가지 위에 살포시
기대어 하룻밤을 지키더니

그 웃는 모습이
어린아이 마음 같아라

나무를 사랑한 소년

겨울 아이

겨울 소년아!
철봉에 거꾸로 매달린 채로 한 바퀴 돌아라
떨어질 듯 다시금 제자리로 돌아온다

너만 힘든 게 아니다
너만 어려운 게 아니다

겨울 소년아!
힘들어도 웃어라

철봉에 거꾸로 매달린 채로 한 바퀴 돌아라
돌아보고 견디다 보면
반드시 제자리로 돌아온다

우리 인생은 그런 것이다!

Piano

하얀 얼굴로 환하게 웃으며
밝은 햇살 아래 미소를 보낸다

검은 눈동자
호숫가 물결처럼 빛나고
눈을 감고 차분하게
두 손으로 누를 적마다

그 목소리 가을바람에 실려
마음에서 마음으로
계곡의 맑은 물소리처럼 흘러가다
숲 속의 낙엽 되어 떨어진다

너의 하얀 얼굴
너의 검은 눈동자
볼수록 아름답다

어디선가 다가올 것만 같고
들려 올 것만 같은 너의 목소리

소년을 사랑한 고양이

바람이 분다!
텅 빈 거리 방향을 잃어버린
외로운 시선들

차분함을 잃어버린
복잡한 감정들

조용히
최대한 조용하게
따뜻하고 평온한 침대 위에서
소년과 함께 잠들게 하라

어둡고 깊은 밤
달빛이 앞을 비추면
소년이 가는 길을 따라나서야겠다

꿈을 이루고
또다시 사랑해야 한다면
조용히 소년의 곁을 지켜야겠다

한 소년

어느 날
나를 낳아주신 부모님은
하늘의 별이 되었습니다

이 세상에 홀로 남겨져

아무리 밝게 웃으려 해도
예쁘게 웃지를 못합니다

아무리 크게 울고 싶어도
울지를 못합니다

정을 나누며 함께 살던 집은
모두 떠나고 아무도 없습니다

같이 뛰어놀던 친구들은
하나둘 기억 속에서 사라져 가고
소년의 마음속에는 기댈 수 있는
나무 한 그루밖에 남지 않았습니다

나무를 사랑한 소년

숲 속의 나무

내가 갈 곳은 하늘!
한없이 그대의 손이 닿을 때까지 뻗어 가리라
그 깊은 눈가에 이슬비가 내리던 날에도
차마 떨려 입을 열지 못할지라도
그대의 초연한 버팀은 어디에서 왔단 말인가?

비바람이 불어도 웃으련다
눈꽃 속에 파묻혀도 웃으련다
그렇게 웃기만 했던 눈 부신 햇살을 닮아
그대를 온몸으로 비추고 사랑하기에
나는 그대의 생명이며 변하지 않는 뿌리입니다

그대의 한 번뿐인 인생 앞에
절정의 시듦을 뒤로 한 채 그 흔한 고엽으로
흩날릴지라도 후회 없는 여름을 보냈습니다
겨울이오면 그 누군가 나를 꺾고 베어 갈지라도
여느 집 뒷담에 쌓인 마른 장작이 되고
땔감이 될지언정
그대의 온몸을 따뜻하게 안아주고 떠나렵니다

별들의 전설

태초에 빛으로 와서
어둠의 암흑 속에서
밝게 비추더니

숭고한 자연에게
씨앗을 떨어뜨려
빛을 먹으며 자라게 하여
이 세상을 창조하시더니

끝에는 하늘의 별이 되어
밤이 되어야 볼 수 있는
영원한 존재가 되었다

살아서는 볼 수 있고
죽어서는 갈 수 있는 세계

소년은 지금도
이들이 부를 때까지
별들의 전설을 기다리고 있다

나무를 사랑한 소년

2
부

또
다
시

사
랑
이

온
다

가을의 신사

가을이여
나에게 어서 오라

유혹의 진한 향기 속에 온 산을 붉게 물들이고
나의 품에 안겨라

가을이여
나에게 어서 오라

생명을 다한 잎들이 차가운 바람에 휩쓸려
이리저리 춤을 춘다

품격의 옷을 갈아입고
계절의 뒤안길로 접어들 때에

가을이여
나의 사랑이여

그대의 눈빛과 손길은 아직도 뜨겁다

첫사랑

그 눈빛!

그 해맑은 눈동자

그 긴 장 속 수줍음

가벼운 움직임 하나까지도

놓칠 수 없는 너

그 떨림 끝에 사랑이 온다!

또 다시 사랑이 온다

우연

내 손에 붉은 석양을 들고 서 있다가

너의 그 깊고 넓은 들녘에 뿌렸더니

가을이 되어 버렸다

그해 눈이 내리고

얼었던 눈마저 녹을 무렵

숨소리도 들리지 않을 만큼

떨리는 설렘을 안고

그 사람이 내 앞으로 걸어왔다

지나가 버린 시간

떠오르는 얼굴들

그 모진 찬바람에도 꿈은
흔들리지 않았다

매번 넘어져도
다시 일어섰다가

죽어서 유령이 되어서라도
가겠다는 그 꿈의 영인들이
다시금 되살아난다

그 날 그 추운 겨울
얼어붙은 손발에 온기를 불어넣던
지나간 시간이

먼 하늘에
하얀 눈이 되어
온 세상을 덮어 버렸다

또 다시 사랑이 온다

사랑 그 이름으로

언제 올지 모르는
우연의 기차를 타고
운명의 터널을 지나
네게로 올 것이라고

너의 그 고백은
밤하늘의 흰 별과도 같이
찬란했다

그 설렘의 긴 여정은
한겨울의 수선화처럼 곱고 아름다웠다

향수를 잃어버린 고뇌에 가득 찬
nostalgia의 정은 진한 커피 향 속에서
사라지고 이제 남는 것은

오직
너의 고결한 눈빛처럼 봄날의 환한
햇살을 가는 길에 끝없이 비추리라

Anida

뜨겁게 사랑하다 그 사랑이 식어 버리면
사랑이 아니다

미치도록 사랑하다 그 사랑을 외면하면
사랑이 아니다

마음을 빼앗아 가놓고
어떤 가책과 책임도 못 느낀다면
사랑이 아니다

너는 도대체 무슨 사랑을 했던 것이냐?

너는 도대체 어떤 사람을 만나
아파했던 것이냐?

사랑의 슬픔에 빠져 허우적거리지 마라!

새로운 날들을 위해 헌 날이 필요했던 것처럼
새로운 사랑을 위해 헌 사랑이 필요했던 것이다!

너에게 가는 길

하루에도 몇 번씩 걸음을 재촉한다
수척해진 럭선을 어루만지듯
비탈길을 따라서
들꽃들이 흐드러지게
피어 있다

Let me go home

등을 타고 흐르는 긴장감 속에서
마음이 조급해진다

저녁 해가 지기 전에 좀 더 빨리 가야겠다
너에게로 가는 길

마지막이 될지도 모르는
모든 순간을
더욱 사랑해야겠다

표정

하늘 참 다양하다
네 멋대로 흐리다가 맑거나

바람 참 다양하다
네 멋대로 불다가 멈추거나

햇빛 참 다양하다
네 멋대로 밝다가 비추거나

구름 참 다양하다
네 멋대로 흘러가다 비를 부른다

누구의 말도 들을 것도 없이
네 멋대로 살다 가겠지

태어나는 것도 죽는 것도
네 멋대로 할 수 없으니 하고 싶은 대로
마음먹은 대로 살다 가라 !
I want to live like you

또 다시 사랑이 온다

나한테 오기까지

나한테 오기까지 얼마나 힘들었을까
수많은 별 사이에서
수없이 많은 날을 기다리며
헤아릴 수 없는 아픔과 상처를
견디고서야 다가올 수 있었던 인연

나한테 오기까지
얼마나 오랜 시간이 필요했을까
계절의 강을 건너서
바람에 흩날리는 낙엽이 되었다가
파도치는 겨울 바다 위에 흰 눈이 되어
내립니다

단 하루라도
그전에라도 만날 수 있었던
어긋난 운명

이렇게라도 만날 수 있어서
다행입니다

사랑은 시들지 않는 꽃

그대는 나에게 사랑이고 꽃이었습니다

아름다운 것에 만족하지 않으며
화려한 날들에 대한 짧은 평온함 일지라도
마음의 위로와 다정한 손길로
안아주었습니다

이 세상을 향해
또다시 힘을 내야 한다면
그대가 내 곁에 있기 때문입니다

가장 가까운 곳에서
그대의 음성을 들을 수 있는 것만으로도

새벽이 오고 아침이 되는 날
그대와 나의 사랑은 시들지 않는 꽃으로
또다시 아름답게 핍니다!

또 다시 사랑이 온다

바보 이야기

그때가 좋았다
생각나고 또 생각나고

지난날
모든 것이 익숙해질 무렵
말도 없이 가버렸다

그 새파란 감정들이
잊을 준비조차 안 했는데

그 답답함에 창밖을 열어보니
불어오는 찬바람이
떠나려는 겨울을 붙잡는데

모호한 이야기로
뒤섞여 그 바람마저
깨지고 흩어진다

서툰 것은 건드리면 안 된다!

미련

두고 간 것이 있으면
놓거나 가져간 것도 있다

눈이 반쯤 감긴 채로
새벽하늘을 보니
빗방울이 떨어지기 시작한다

비를 피해 버스정류장으로 뛰었다

반쯤 젖어버린
외투에서 손등을 타고
흘러내리는 것이

아직 내 마음속에 남아 있는
너였다

내 기억 속에 남아있는 것도
사랑했기 때문입니다!

풀잎의 노래

이슬처럼 깨끗한
꾸며지지 않는
얘기하려고 합니다

그대의 눈동자
깊고 푸르게 빛나서
좋았습니다

그대의 옷차림
넉넉한 계절이 지나도
변함없을 수수함 같아서
좋았습니다

그대의 숲 속에서 풀잎처럼
잡고 싶은 마음이 하나 있었습니다

나도 너처럼
지금의 평범함을 사랑하겠다!

가던 길에 물어본다

그대가 속한 사람들에게

걸림돌이었을까?

그대가 속한 사랑들에

디딤돌이었을까?

사람과 사랑에게 묻는다

어제는 오늘이 되어서

비가 내리던 날
우산도 없이 하염없이
가로수 길을 걸었다

아카시아 꽃잎이
비바람에 섞여 떨어지고
그 향기에 취해 버린다

마치 예정된 시간위에
서 있는 것처럼
정해진 오늘은 있어도
정해진 운명은 없을 테니까

연민은 사라지고
기대고 의지할 수 있는
사랑만 남는다

어제를 다 쓰거나 다 지워야만
오늘이 되고 그 하루가 된다

한 걸음씩

그대에게 한 걸음씩 가겠습니다

그 한걸음이 모여서 믿음으로
변했으면 좋겠습니다

새벽 아침이 밝아 오기 전에
그대 머리맡에 데이지 꽃을 놓아두겠습니다

그대에게 한 걸음씩 가겠습니다

그 한걸음이 모여서 편안함으로 변했으면
좋겠습니다

가을이 오면 낙엽이 떨어지는 오솔길을
단둘이서 걸어갑시다

지난날의 쓸쓸했던 기억들
마음속의 슬픔을 지우며
그대에게 한 걸음씩 가겠습니다

또 다시 사랑이 온다

정 (情)

어색할 거야
처음의 마주침

익숙해질 거야
술 한 잔 같이 마시면

좋아질 거야
너를 편하게 대해 준다면

생각날 거야
너와 만난 그 느낌

그 미소
그 환한 웃음
그 진지함이

너의 기억 속에 남아 있다면
그것이 정이란다

아망뜨 (Amante)

나의 삶이여
단 하나의 사랑이여

운명의 강을 건너
아침이 밝아 오기까지
예측할 수 없는
인연의 길을 걸어 왔습니다

나의 연인이여
단 하나의 행복이여

물 한 방울에도
감사해 하는 작은 풀잎처럼
살아갑시다

사랑하는 지금도
그 후에도 소리 없이 곁을
지키는 나라는 존재

그대의 연인입니다!

또 다시 사랑이 온다

소금 향기

입안 점막이 벗겨질 만큼
거센 바람이 온 갈대숲을 에워싸고
휘몰아친다
저 멀리서 구름이 지나간 자리에
예전의 아픈 기억들이 소금 향기 속에
하나둘 지워진다

짙은 회색빛 눈썹을 타고 콧등을 따라서
입술에 닿을 때까지 흘러내리는
노력과 교감의 흔적들
해안가 샛길을 따라서
데이지 꽃향기를 머금은 채로 두 손을
잡고 걸었다

바다가 남긴 소금 향기를 따라서
시원한 바람이 분다

그대가 내 옆에 있어서 행복했다
참 고맙다!

비가 오면

비가 오면
생각나는 사람
세월이 흘러도 그 마음은
변하지 않네

나지막한 목소리로
나를 불러 주던 그 사람
잊을 수 없다네

빗길에 미끄러져 가는
지난 기억들을 잡고서
밖을 바라보는데

차창 밖에서
강한 빗줄기로 내 마음을
두드리는 것은 무엇일까?

하염없이 내리는 비는
그칠 때를 기다리는데

또 다시 사랑이 온다

수줍어서

그 집 앞에서
한참을 기다리고
망설이다가
그가 왔을 때

한마디 말도 못하는
답답한 바보였습니다

마음에 담은 그 사람을
볼 수 있다는 건
그나마 유일한 행복

숨 고르기 열 번 끝에
멋진 고백을 다짐해도
그가 날 받아줄지 모르지만

생각만으로도
가슴이 두근거리는
먼 하늘을 바라봅니다

또다시 사랑은 온다

지난 외로움 속에 차곡차곡 쌓아 놓았던
간절한 바램이었나

어딘지 모를 알 수 없는 곳에서 지지 않는
아름다운 꽃으로 피었다가
나에게 운명처럼 다가온 사람

만나고 나서도 자꾸 뒤돌아보는 사랑이다

눈 부신 햇살을 머금은
하얀 벚꽃들이 바람을 타고서
설렘의 꽃잎들을 흩날린다

어느 곳으로 떨어질지
낙화의 지점을 알 수는 없지만
내 마음속에서 이미 꽃이 되었다

지나가고 기다리면
또다시 사랑은 온다

기다리는 마음

내가 느끼는 것만으로도 충분합니다
너무 슬퍼하지 말아요
그대 걷는 발걸음에 길을 놓아 드릴게요

힘드셨죠?
그대의 보석 같은
눈물 속에서 밝은 빛을 기다린 거죠
어느 누구보다 행복해야 할
그대의 눈동자가
창밖의 가을바람처럼 흔들립니다

조심스럽게
그대 가는 길에 시들지 않는
꽃이 되고 싶고
그대만을 비추는 햇빛이 되고 싶어요

난 그대를 위해 존재하는
단 하나의 유일한 사람
한 걸음씩 내 곁으로 오세요

이방인

상대의 생각을
이해하지 못하면
무지한 내가 된다

아무렇게 걸어 놓은
사진 속 액자도
그대를 보는 순간
미소를 보낼 수 있다

상대를 헤아리지 못하면
그의 마음속으로 들어가지 못하고
서성거리는 낯선 (strange)
이방인으로 남는다

걸어 두고서

그대 쉬어 갈 수 있게
가는 길에 여유하나 걸어두었습니다

원하는 일
원하는 사랑은 만족스럽지 못했습니다

그대의 목마른 femme는
깊은 밤의 흰 장미처럼
유혹의 강을 건너지 못했습니다

그대의 지친 마음
그대의 못다 한 꿈들을 쉬어 갈 수 있게
낡고 해진 외투 하나 걸어 두겠습니다!

원하는 것을 얻지 못하는 것이
내가 이 세상을 빛내야 하는 이유입니다

femme의
낡고 해진 외투를 걸어 두고서

자리 잡기

한 송이 아름다운 꽃도
한 그루의 나무도
아무 곳에서나 피거나 뿌리를
내리지 않는다

날아다니는 새들조차도
아무 곳에서나 둥지를 틀지 않는다

저 하늘 위에 구름 한 점도
흘러가는 강물에 이유를 묻지 않으며
이마에 흐르는 땀 한 방울이 덥다고 말할 때
그의 열기를 식혀줄 신성한 바람이 분다

일상의 소소한 물건들마저도
내 손에 감기는 곳에 놓아두듯이
햇빛이 머무는 창가에
수국 화분을 놓아두겠다

또 다시 사랑이 온다

길

인생의 길을 향해서
그 끝을 알 수 있을 때까지 걸어가리라

눈 부신 햇살을 머금고
아침은 밝아올 것이며
식탁에 놓인 빵 한 조각은
떠나는 손님에게 나누어 주리라

아쉬움만 가득한 사람에게
아직 편지 한 장 적지 못했습니다

두고 간 그리움인가
떠나는 아쉬움인가

은행나무 노랗게 물들어 가는
가로수 길을 바라보며 걸어갑니다

우리들의 사랑은 아직 끝나지 않았습니다

내가 없으면 그런 거야

그것 봐
내가 없으면 그런 거야

혼자서 잘 살 수 있다고
나 없이도 잘 지낼 거라고 떠났으면서

그 당당함은 사라지고
너는 술에 취해 울고 있잖아

그립고 사랑한다는 말!
보고 싶어서 견딜 수 없다는 그 말!

전화를 끊으려 해도
그 외로움
그 쓸쓸함 가득한 파도 소리 들리는 곳

네가 있는 그곳
바람 소리 강한 바닷가 같더라
나도 너처럼 듣고 있었어

　　　　　또 다시 사랑이 온다

삶

삶이란

네가 간직했던 사랑이며

남모르게 흘렸던 눈물!

나와 같은 사람

내 마음 차분해질 때까지
숲 속의 길을 따라서 걸어가자

지친 마음 쉬어 갈 수 있게
길가에 의자 하나 내어놓자

나와 같은 사람 쉬어 갈 수 있도록
내 마음 편안해질 때까지
걸어가자

포근한 하루
달맞이 꽃향기로 가득한 오후

나와 같은 사람
기뻐할 수 있도록
길가에 꽃씨 하나 심어 놓자

또 다시 사랑이 온다

딸기 하마

각자 따로 살다가
각자 따로 놀다가
각자 다른 생각을 하다가
각자 다른 사랑을 하다가

딸기로 살다가
하마로 살다가
한곳에서 크림빵으로 다시 만났다

하나라도 비슷한 것 없이 제멋대로
살았지만 각자 그대로의 모습을 인정하다 보면

딸기는 하마가 될 수 없고
하마가 딸기가 될 수 없다는 건

각자의 입장차이라는 걸 안다

시도 때도 없이 아무 때나

시도 때도 없이 사랑을 얘기하는 것이 아니다

아무 때나 시를 쓰는 것이 아니다

시도 때도 없이 보고 싶다고 말하는 게 아니다

절절하게 보고 싶을 때가 있으면

간절하게 사랑하고 싶을 때가 있는 것이다

또 다시 사랑이 온다

이 밤을 기억해

눈앞에 보이지 않더라도
느낄 수 있어요
그대라는 존재

마음과 생각을 송두리째
차지해 버린
그대라는 사람

숨을 쉬다가도 멈출 것 같은
심장 뛰는 소리마저도
그대라는 각별함

밤하늘에 끝없이 펼쳐지는 별빛을
잊을 수가 없어요

이 세상 모든 것을 전부 잊는다 하여도
그대와 함께했던 이 밤을 기억해

빨간 장미

그대는 더없이 공손하고 예의 바르다
울타리 너머로 연약한 자존심을 드러낼
필요는 없었다

홍연한 자태에 지나가는 그림자도 없이
닮고 닮아서 냉정하게 돌아설 수 없는
아름다움이다

사랑은 차분하게 감정을 치고 올라와
그대처럼 유혹의 시선을 넘어야
비로소 보이는 또 하나의 존재

그 각인의 사슬에서 이제는 자유롭게
너를 놓아주련다

빨간 장미여
그대는 더없이 아름답고 차분했다

붓 하나로

붓 하나로
살아온 인생
초대받지 못한 꿈 꾸는 세상이여

붓 하나로
나무가 집이 되고 여인의 얼굴이
식탁 위에서 화병 속 꽃으로 웃는다

붓 하나로
따뜻한 햇볕
푸른 바닷가 언덕 위에 작은 교회

붓 하나로
형형색색의 물감
감정의 물과 섞여 종이의 결을 따라서

붓 하나로
영감의 불을 지피면
화가는 사라지고 한 폭의 그림만 남는다

평생이란 두 글자

한결같기를 바라지만
만나고 헤어지고

마지막이기를 원하지만
헤어지고 만나고

결국이란 단서에
헤어지는 아픔을 남겨놓고

다시는 만나지 않겠다던
맹세조차도

누군가를 만나 소중함을 느끼면
잠시라도 떨어져 못살 것 같은

평생이란 두 글자

또 다시 사랑이 온다

3
부

나보다 나를 더 아껴주는 사람

나 보다 나를

나 보다 나를 더 사랑해주는
그대가 있어서 고맙습니다

나보다 나를 더 소중하게 생각해 주는
그대가 있어서 행복합니다

나 보다 나를 더 위해 주는
그대가 있어서 이 밤이 외롭지 않습니다

어디에서 머물다가
이제서 내 곁으로 왔습니까

나 보다 나를 더 사랑해주는 사람은
오직 그대 한 사람뿐입니다

파도 소리

답답한 마음 가져가도록
거품 되어 부서지고 내리쳐라

그대 가슴에 남아있는 꿈과 이상들에게
살아온 인생마저도

외마디 비명 같은 파도를 겪지 않고서는
원하는 것을 얻을 수 없다고 말하여라

빛나고 빛나는 너와 내가
또 부서지고 내리치다가

밀려오는 눈물의 고백 같은 추억이
그리워 부르는 파도 소리

나보다 나를 더 아껴주는 사람

서로를 생각하는 마음

겸손한 마음으로
밝아오는 아침을 기다립니다

저 큰 우주 안에서 수많은 별이
충돌하지 않는 것은
서로를 위한 양보입니다

서로를 이해하는 마음이 클수록
다툼이 들어올 자리가 없습니다

서로를 존중하는 마음이 클수록
오해가 들어올 자리가 없습니다

서로를 배려하는 마음이 클수록
불신이 들어올 자리가 없습니다

고백

신이시여

이 밤이 가지 않도록 붙잡아 주십시오
이 사람을 너무나도 사랑합니다

하룻밤 아니 헤아릴 수 없는 수많은 날을
이 사람과 보낼 수 있도록 허락해 주십시오

어리석고 무지했던 지나간 날들은
하나도 남김없이 잊게 해 주십시오

홀로 이 세상을 살아간다는 건
목숨을 잃고서 광야를 떠도는 유령과도 같습니다

신이시여

나를 필요하신 곳에 놓아두고 쓰소서
부족함의 극치를 이루지 않게 하소서

나보다 나를 더 아껴주는 사람

내가 사랑했던 그대라서

술 한 잔에 저 산을 담을 수 없어요
형용할 수 없는 몸부림 같은 기억일 겁니다
그녀와 보낸 시간을 어디서부터
시작해야 할지 모르겠어요
마지막 전주를 들으며 무대에서 인사를
나누는 시간입니다
분명 어디에선가
그녀는 어디서 무엇을 하며 살아갈까요?
나밖에 모르던 이기심에 화가 납니다
난 왜 그녀를 힘들게 했을까요

그 사람
길을 가다가 한 번쯤 우연 속에서라도 만나길 원해요
그 시절은 이젠 빛을 잃어갑니다
하지만 이 말만은 듣고 가세요

다시 만나게 되면
두 번 다시 보내지 않겠습니다
내가 사랑했던 그대라서

손을 내밀어

하늘은 손을 내밀어
바다를 잡았네

나무는 손을 내밀어
숲 속을 잡았네

푸른 하늘은
그대의 머릿결 같아서 아름답고

바다는 깊고 깊은 심연 속에서
소금 향을 불러오고

나무는 나의 기대와 사랑을 위해 있어 준 사람
그 숲 속은 나의 소중한 집이라네

나의 사랑과 인생이 머무는 곳
손을 내밀면 닿을 수 있는 너라서
행복하다네

나보다 나를 더 아껴주는 사람

카네이션

어머니!
두 딸 녀석 성화에 백화점 왔습니다

어린이날
수많은 사람에 둘러싸여 걷고 있는데
쇼윈도에 걸린 화려한 옷들과
진열된 상품들이 전혀 눈에 들어오지 않네요

백발의 노부부와 그의 자손 같은
분들이 가족식당에 웃으며 들어갑니다

어디선가 낯선 사람들 사이에서
애야 하며 불쑥 저의 손을 잡아 주실 것만
같은 어머니

저의 눈에는 아무것도 보이지 않고
카네이션만 눈에 들어옵니다

저는 요즘 잘 지내고 있습니다!

부족한 우리들

완벽한 우리들이 만나
친구를 만드는 것이 아니라

부족한 우리들이 만나
좋은 친구를 만든다

완벽한 우리들이 만나
사랑을 만드는 것이 아니라

부족한 우리들이 만나
완전한 사랑을 만든다

완벽한 우리들이 만나서
좋은 세상을 만드는 것이 아니라

부족한 우리들이 만나서
살기 좋은 세상을 만든다

완벽한 세상과 사람만 존재한다면
우리의 삶 속에서 진정 자유로울 수 있을까?

　　　　　　나보다 나를 더 아껴주는 사람

생전 어머니 말씀

내가 너를 낳고 키울 적에

상처 하나 없었는데

너 스스로가 세상에 나가서

다치거나 멍이 들면

그날 하루는 눈물로 지새우는 날이었다

제발 다치지 마라

잊혀진 시간들

사랑했을까
아니면 억누르고 참아냈을까

나뭇잎에 떨어진 아주 작은 물방울은
지난 새벽별의 눈물이었다

흙을 만지면
손끝에서 숨을 쉬고 발끝에서 뿌리가
자라고 열매가 영근다

눈 부신 햇살을 손등으로 가리고
이마에 흐르는 땀방울을 닦으며
그들은 오늘을 기다리지 않았다

어미의 젖을 향해 달려가는 아이의 본능 같은
내 삶과 인생이 다음 시대를 위해 잊혀져간다

흙 속에 잠든 씨앗은 비를 기다리지만
바람은 원하는 곳으로 불지 않는다

나보다 나를 더 아껴주는 사람

낙엽

겨울이 오기 전에
서둘러 떠나는 사람이 있습니다

모진 비바람에 떨고 있다가
살아온 세상과 이별을 나눌 여유도
없이 낙엽이 되어 버렸습니다

살아 있는 동안은 이렇게 쉽게
너무나 빨리 시간이 흘러갈 줄 몰랐습니다

돌아보면 눈물 한 방울도 남기지 못한
가엾은 슬픔입니다
자신의 할 일을 다 하도록 내버려 두었던
지난 시간이 무색해집니다

내 곁에서 좀 더 있어 줄 수는 없었나요?
이제 겨우 상처받은 마음이 안정을 찾기 시작했는데
잊혀 지거나 사라져 가는 것은
너무나 가혹합니다

망설임

가지 못할 것도 없는데

어딜 가고 싶어도 가지 못한다!

못 살 것도 없는데

내 마음대로 살 수가 없다!

하고 싶은 대로 할 수 있는데

내 마음대로 할 수가 없다

나 아닌 또 다른 망설임 때문이다

그 수용과 범위 때문에

가능한 것들을 놓치고 산다

나보다 나를 더 아껴주는 사람

밤바다

어제는 어제였으므로
말도 없이 자리를 비운 너였다
들어도 될 이야기
들어도 될 말을 남기고 떠났으면 좋으련만
속절없이 파도치며 의미 없는
차디찬 바람만 불어오는 밤바다

네가 그립다
그래 보고 싶다!
넋 나간 채로 불러 보는 그리움에게
너의 곁으로 걸어갈수록
너도 나만큼 걸어왔으면 좋겠다

지금
바로 지금
나의 발밑에 밀려오는 바닷물처럼
이 밤!
참 깊고~
오래 머물다간 사랑이다

자화 (自畵)

거울 속에 비친 내 얼굴을 보고
흐르는 물에 면도를 한다
어둠의 가치와 아침의 정을
떼어 놓지 못하는 숭고한 의젓함이라 쓴다

거울 속에 비친 내 얼굴을 보고 화장을 한다
아이를 낳고 밥을 지으며 넥타이를 목에 걸어주고
새벽길을 내달린 서러운 눈물이라 쓴다

일생의 반도 채우지 못하였는데
나만큼 자라버린 내 꿈들이다

석쇠 같은 네모난 하늘에
비릿한 고등어 한 마리를 구워내고
주체할 수 없는 아이들의 웃음소리마저
희미한 달빛으로 변해 버릴 때

거울 앞에서 화장을 지우고
그날을 지우고 내 모습을 본다!

나보다 나를 더 아껴주는 사람

생각나는 사람

누가 그리운 줄도 모른 채

일상 속에서 바쁘게 살다가

특정한 대상도 없이

가슴 한구석에서 예전의 기억 때문에

사무치게 그리움이

쏟아져 내리는 날이 있다

아마 시간보다는 사람이었을 것이다

불빛

낯선 거리에서 불빛을 만났다

표현할 수는 없어도
짐작하기 어려울 만큼 널 생각했다
내 곁에서 기억되거나 잊혀간
지난날은 추억의 산을 넘는 법이니까
너로 인해 알게 된 것은
감당할 수 없을 만큼 누굴 사랑했을 때
나의 전부를 걸어야 한다는 거야

지금도 너의 그 해맑은 웃음
가끔씩 보고 싶더라
어디선가 잘 지내고 있을 거라 생각해
길지 않는 시간 위에서
어떤 아픔의 사랑도
다음 사랑을 위한 배려였음을 가르쳐준
너에게 눈물 나게

고맙다!

무제

저 하늘에 시를 써서

흘러가는 강물에 편지를 띄운다

난 그대 없이 단 하루도 살 수 없다!

그대가 가는 길에

그 얼마나 힘들었을까
그대가 가는 길에 꽃이 되겠네

그 얼마나 외로웠을까
그대가 가는 길에 햇빛이 되겠네

그 얼마나 아파했을까
그대가 가는 길에 바람이 되겠네

그 얼마나 속상했을까
그대가 가는 길에 눈물이 되겠네

지나간 슬픔은
시간 뒤에 숨어서 잊혀 간다

진심으로 사랑했으므로
어떠한 후회도 남기지 않으리라

나보다 나를 더 아껴주는 사람

들길을 지나서

꿈속을 거닐다
잠에서 깨어나
하늘에 기대어
흰 구름 말없이
흐르고 흐른다

들길을 지나서
바람이 전해온
차가운 시선이
꽃으로 필 무렵
가을의 전설을
들어라!

두부 한모(母)

이 드넓은 세상을 닮고
내 얼굴을 닮고 살아온 세월을 닮았다

둥글지 못해 각져 버린 마음
곱게 썰어서라도 가져가고 싶건만

간장 독 메주에 얹힌 빨간 고추처럼
두 손 모은 간절한 마음 두고 가지 못해
네가 올 때까지 밖에서라도 기다리련다

호박꽃이 지고 나팔꽃이 피고
콩밭 언저리에 바람꽃이 필 무렵
힘없는 손으로 맷돌을 잡고서
서로를 비비며 콩죽 되어 돌아간다

아궁이에 타닥타닥 불꽃들이 타들어
가는데 솥뚜껑 같은 하늘에 구수함이
담을 타고 넘어간다

나보다 나를 더 아껴주는 사람

한 세월

흐르는 데로 내버려 둬라
강물이 된다
흘러가는 데로 내버려 둬라
구름이 된다
마음 가는 데로 내버려 둬라
세월이 된다

네가 갈 곳은
내가 쉴 곳은
그 어디에도 없다

어리석은 욕망과 채울 수 없는 소유 때문에
이 세상 모든 것을 가졌다 하여도
부질없고 소용없다

한 세월
덧없는 영화 속에 살다가 사랑하다
흐르고 흘러가듯
내버려 두면 된다

이별 앞에서

떠나간 사람
생각하지 말자

두고 간 미련
남기지 말자

누군가를 떠나 보내야 한다면
그것은 상대를 탓하지 않는
나와의 이별

다시 생각해 보라는
어떤 설득도 하지 말고

떠나는 사람
편안하게 보내드리자

잘 있어라
잘 살아라

어떤 말도 남기지 말자

그 말 때문에 더 아프다

나보다 나를 더 아껴주는 사람

가을편지

그대 생각에 나에게 주어진
하루가 모자랍니다

그리 길지 않는 생애에 운명처럼
다가온 그대

밤하늘에 내리는 빗줄기를
검은 우산으로
막아 내며 걸어갈 때에
그대의 목소리가 바람을 타고
전해옵니다

부드러운 떨림 속에 스며드는
가을의 꽃향기처럼
잊을 수 없는 하루가 또 지나갑니다

자연과 나

머리카락 한 올
봄날 벚꽃나무에서 떨어져 간 꽃잎들

손톱 하나
소나무에서 떨어져 간 솔방울

발톱 하나
살기 위해 걸었던 수고의 시간
내천을 따라 흘러가는 낙엽
강물 따라 흘러가는 나뭇가지
비구름 뒤 무지개

머리카락 한 올
봄、여름、가을 그리고 겨울
손톱 한 개
지나가던 길에 돌아본 삶의 아쉬움
발톱 한 개
돌아 갈 수 없는 죽음과의 이별
한 줌의 흙! 한 줄기 빛! 한 방울의 물!

나보다 나를 더 아껴주는 사람

시간 여행

사랑은 했습니까
그때는 사랑이라고 믿었습니다

사랑은 했었습니까
다시 돌이켜 보아도
그때 그 감정으로 돌아 갈 수
없을 것 같습니다

되돌릴 수 없는 시간
사람과 감정은 변해도
내가 만들어 놓은 사랑의 방식은
여전히 그대로입니다

시인의 마음

눈으로 쓰면
달빛 머무는 호수
기억을 더듬는 수필

겪어온 세월만큼
발로 쓰면 살아서 숨 쉬는
인생이며 사랑이었던 소설

표현하고 싶은 감정은
더 간결하게

감정을 담고 싶은 말은
더 단조롭게

눈으로 발걸음으로
계절의 옷을 갈아입히는
시인의 마음

오늘도 쉽게 잠들 수 없을 것만 같다

나보다 나를 더 아껴주는 사람

나 보다 나를 더 아껴 주는 사람

그대가 내 곁에 없다는 사실이
믿겨 지지 않아요

언제 어디서든
나의 울타리가 되어주고
내 곁을 지켜 주던 사람

죽음의 꽃이 피어
하나밖에 없는 목숨마저
신께서 거두어 갈 적에
그 거친 숨소리를 잊을 수가 없어요

어둠이 짙어 앞을 볼 수 없을 때에도
새벽이 밝아오는 가벼운 발걸음으로
나를 안아 주시고 용기를 주었습니다

그대가 남기고 간 것은
이 세상 어느 것과도 바꿀 수 없다는
나라는 존재

나 보다 나를 더 아껴 주는 사람
그 사랑 잊지 않고 기억하겠습니다

한순간도 너를 잊지 못하는 낙엽이었다

나무에 붙어서 바람에 떨고 있는 낙엽 한 잎
주어진 시간은 별로 남지 않았습니다

사랑했던 기억은 흐르는 강물 위에 떨어져
나에게는 눈물 한 방울이었음을

불편했으며 몹시 아팠던 감정들은
시간의 약국 앞에서 잊혀 갑니다

무심코 던지는 말 한마디
이 거리를 오고 가는 사람
다시 사랑하면 모두 가질 수 있다고
너무 쉽게 말하지 말아요

내 사랑은 매우 특별합니다

살아서도 죽어서도
한순간도 그대를 잊지 못하는
한 잎의 낙엽입니다

4
부

꽃은 시들어도 별은 지지 않는다

님의 향기

해바라기 하늘을 품고서
뛰어놀던 좁은 골목길
언덕 위에 교회 종소리

들길을 따라서 하얀 코스모스
교복 입은 소녀들 웃고 웃는다

파란 하늘 고추잠자리
키 작은 소년
땅콩사탕 하나에 행복했다

어디선가 들려오는 피아노 소리
그 집 앞을 지나갈 때
담장 넘어 하얀 국화꽃

힘껏 뛰어서 올라탄 시내버스
차창 밖으로 저물어 가는 저녁에
어머니 밥 향기가 그립다

코스모스

끝없이 펼쳐진 푸른 하늘
흰 구름 말없이 흐르고

빛나는 햇살을 머금는 들판에
코스모스가 활짝 피었습니다

하얀 코스모스 순결한 향기
빨간 코스모스 열정의 향기
분홍 코스모스 사랑의 향기

바람의 결을 따라서
이리저리 춤추는 나비처럼

꽃가루 묻은 손으로
쓰다듬는 소녀의 예쁜 얼굴

꽃은 시들어도 별은 지지 않는다

사과 같아서

안개비에 온 산이 젖는다
품었던 고결한 뜻을 간직한 채
단맛 가득한 세상을 담는다

지워내지 못한 슬픔
웃지 못할 기쁨들이다
설익는 감정들을 남겨 놓고
붉은 향기에 계절이 지나간다

더 힘을 낸 덕분이랄까
탐스러운 가치가
의지의 줄기에 매달려서 웃는다

너의 동그란 눈동자
태양처럼 뜨겁고 강렬하며

너의 달콤한 입술은 사과 같아서
찬바람이 불기 전에
가을이 오고 사랑이 깃든다

꽃 편지

서쪽에서 부는 바람
창문 틈 사이로 솔솔 불어온다.

맑고 푸른 하늘색
작은 잉크병에 차오르고
두근거리는 심장 소리를 겨우 진정시켰다

세월의 책상 앞에서
하얀 순백의 마음을 펼쳐
만년필 끝에 눈물처럼 뚝뚝 떨어져
글자 하나에 사랑이 피고 이별이 진다

서툴게 살아온 시간
더는 지우고 다시 쓰고 싶지 않아서였다

사랑했던 사람들과
잊지 못한 그리움들에
마른 꽃잎 추억 속에 붙여
마지막 편지를 쓴다

꽃은 시들어도 별은 지지 않는다

가을 산책

나무의 이름을 묻기 전에
나는 이미 나무가 되었습니다

사랑의 이름을 묻기 전에
나는 이미 사랑에 빠졌습니다

바람 속에 스며드는 솔나무 향기
블루엔젤은 아직도 초록 빛깔을
잊지 않았습니다

은행나무 잎이 노랗게 변하기 전에
잣나무 숲에 기대어 봅니다
아직 가을은 완연한 이름을
지니지 못했습니다

다시 한 번 만나자는 약속을
코스모스의 길가에 심어 놓았습니다
선량한 가을이 붉어질 즈음
이 길을 따라서 다시 걷겠습니다

해가 뜨면 지기 전에

해가 뜨면
차가운 바람 되어
연약한 풀잎을 쓰다듬고
흩어진 낙엽들에게
위로를 전하며
떠나는 사람

외롭지 않게 동행해 주리라
그 빛이 지기 전에

갈대숲에서
환하게 웃고 있는 너에게
다시 돌아온다는
약속을 차마 남기지 못하고
떠나려 한다

너를 바라볼 수 있는 것만으로도
난 행복했다

바람 소리

저 끝없는 평야에 쓸쓸하게 부는
바람 어디로 가는 것일까?

새처럼 날지는 못해도
이곳저곳을 떠돌다가
한 점의 구름 위에서 쉬었다가는 바람

고성에 나부끼는 깃발도
잊혀져 간 이름을 가리키는데
그 흔한 이름도 없이 떠도는 신세가 되었을까?

녹슨 세월을 잊지 못해서
이 깊은 밤에 소리 내어 울고 있다

저 하늘 저 끝에서
옛사랑이 그리워 떠도는 바람은
또 다른 넋이 되어 방랑의 길을 떠난다!

발걸음

왜 그랬냐고 이유를 묻고 싶지만
대답을 들을 수 없는
의미만 남겨놓고 돌아서야 했다

시간의 벗으로부터 인생은 그런 것이라며
반듯한 길 건네받고 걸어갈 때에
쌓여 있던 무거운 마음을 내려놓았다

한 지붕 아래 같은 하늘 아래서
감정을 나누고 산다는 것
존중의 이끼가 벗겨져 흠집을 내더라도
너그럽게 다독거려서 걸어가는 길에 데려가 보자

햇볕은 더없이 따뜻하고 찬란하다!

꽃은 시들어도 별은 지지 않는다

빵 한 조각

쉽게 단정했던 것은

쉽게 무너졌다

어렵게 요구했던 것은

어렵게 이루어졌다

흐트러진 사고를 정렬하는 기분이란

요구에 부응하는 지렛대 같은 것이었다

밀 한 알을 심어
빵 한 조각을 먹을 수 있다는 건

쉽거나
어려운 것과 다른
신성한 땀 한 방울이었던 것

속옷

나의 속옷
두 손으로 싹싹 비벼 빨아 보아라!
더럽다고 못 할 것이다

남의 속옷
두 손으로 싹싹 비벼 빨아 보아라!
더러워서 못한다고 할 것이다

나의 것도 남의 것도 싹싹 비벼 빨아 보아라!
네 것만 깨끗하고
남의 것은 더럽다고 할 것이냐?

가리지 말고 두 손으로
싹싹 비벼 빨아 보아라

너와 나의 속옷도 맑은 물 나온 만큼
정결해질 테니

탁 트여라!

탁 트여라!
이 세상의 모든 근심으로부터
편안해져라

탁 트여라!
이 세상의 모든 걱정으로부터
멀어져라

탁 트여라!
이 세상의 실패했던 기억은
모두 지워 버려라

탁 트여라!
이 세상의 복잡했던 감정들로부터
자유롭게 떠나라

탁 트여라!
그대는 더없이 소중하고 고귀하다!
믿음의 저 위대한 바다를 보라!

외로움의 긴 밤

그 흔한 말 한마디
소중하다고 말해줄걸

그 흔한 감정
사랑한다고 말해줄걸

떠나간 뒤
나의 존재는 희미해지고
그가 남긴 건 선명한 흔적

회한의 길을 걷다가
잠시 멈추어 선다

외로움의 긴 밤이
시작되기 전에
그에게 돌아가야겠다

꽃은 시들어도 별은 지지 않는다

별

살다가 죽으면 별이 된다

다행이다

그나마 매일 볼 수 있어서

빈 술잔

비워도
비워도
채워지지 않는 빈 술잔

채워도
채워도
비워지지 않는 외로움

잊어도
잊어도
다시 생각나는 그 사람
빈 술잔에 담아서

빈손으로 살다가
빈손으로 떠나는 날까지
찬바람에 취해가는
가을밤이고 싶다

꽃은 시들어도 별은 지지 않는다

중이 제 머리 깎는다!
The monk cuts his hair by himself.

그녀와 이혼했다
그 비극을 홀로 감당하기 어려웠다

혼자서 밥을 먹고
혼자서 음악을 듣고
혼자서 영화를 보고

때때로 글을 써가며
혼자서 여행을 다녔다

그 쓸쓸함에 대하여
묻는 이는 아무도 없었다

그녀와 두 딸이 생각나면
거울을 보고 머리를 잘랐다

설익은 밥으로 사는 시간이었다

그 외로움에 대하여
계절은 말없이 흘러갔다

이후 10년 세월이 지났다

중이 제 머리 못 깎는다고 하지만
나는 지금도 거울을 보고
스스로 머리를 자른다

그 옛날의 정과
남겨진 정을 그리워하면서

견딜 수 없는 이 밤을 잘라낸다!

외로운 섬

누구에게나
외로운 섬이 하나 있다

세상 속에 던져진 무지한 영혼들이
파랗게 질린 입술로 구름 속에서 웃고 있다
바다 위에 홀로 태어나
의지할 곳 없는
거센 파도 소리를 듣는다
바다거북 해변에서 알을 품고
혹등고래 협곡을 따라서 수영을 한다
편안한 하늘
드넓은 바다 곁에 있어도
외로운 섬
언제 사라질지 모르는
운명의 시계 앞에서
군무의 아름다움을 간직하련다

고래의 Silence

인간들의 소리가 들리지 않는
곳으로 떠나고 싶다
이들의 무자비한 살생과 파괴에서
벗어나고 싶다
이들의 이익과 계산속에서
나는 의미 없는 생명이다!

이들의 끝없는 욕망과 본능에서
버려진 플라스틱을 내 아이가 먹고
자란다
이들의 모험 속에서 벗어나고 싶다

깊고 더 깊은 심해 속으로
잠행을 하련다
이들의 언어가 들리지
않는 곳
이들이 사는 곳만 아니면 된다!

꽃은 시들어도 별은 지지 않는다

슬퍼서 웃는 날

온종일 바람만 거세게 불던 날

허전함을 지우려 해도
쓸쓸한 기억 저편에 몹쓸 슬픔이 밀려온다

언제나 곁에 있을 거라고
약속이나 하지 말 것을

나 아닌 다른 사람을 사랑한다고
말하지 말 것을

너무 기뻐서 웃을 때도 있지만
너무 슬퍼서 웃을 때도 있다

로제 (Rosee)

맑고 투명한 애착
정한 마음 바꿀 수는 없어도
안갯속을 비집고
한 방울의 영롱한 이슬로 태어난다

나의 로제여
그대의 사랑은 과분했다 눈물의 가치

극에 달한 슬픔의 포효
눈물이 마를 때까지 사랑하리라

내 곁을 떠나가거든
돌아오는 길에 붉은 장미
한 송이라도 심어 놓고 가소서

붉은 슬픔 가시에 찔려 피 한 방울
풀잎 위에 떨어져 가슴에 사 묻히도록
보낼 수 없는 Rosee
나를 잊지 말아요!

꽃은 시들어도 별은 지지 않는다

장미꽃 열쇠

어둠의 요정들이 장미꽃 울타리
너머로 웃고 있다
붉은 꽃잎을 하나씩 떼어먹더니
비밀의 문 앞에서 서성거린다
사랑을 원해 너의 입술에
촉촉이 스미는 달콤한 유혹 같은
사슴의 눈망울로 내 앞에 서 있다
시간이 얼마 남지 않았어
노화의 길에서 차츰 힘을 잃어 갈 거야
등은 구부러져 슬픈 꼽추의 낙향 같은
기도 소리에 묻혀 잊혀 가겠지
생은 짧고 이 밤은 더없이 깊고
절망적이었던 것
새벽잠을 깨우는 노인의 기침 소리처럼
아름다움은 사라지고 햇빛 속에
아침이 찾아온다
은빛 열쇠의 고혹함이여
그대의 장미꽃에 피 한 방울 떨구어
영혼의 세계로 잠들게 하라

감정의 파도

답답해
참을 수 없는 마음
혼란스러워
견딜 수 없는 마음
다가갈수록
더 멀어져 가는 마음
알아 갈수록
더 어렵고 착잡해지는 마음
감정이란
파도 소리 같은 거야
다툼은 미움으로
분노는 증오로 바뀐다
조금 더 멀리 볼 수 있다면
어떤 미움도
증오하는 마음도
모래 위에 남긴 발자국 같은 거야
지우는 것도
잊어버리는 것도
너였다!

꽃은 시들어도 별은 지지 않는다

주문 (呪文)

차가울수록 뜨거워져야 한다
온유한 가치에 대해서 묻지 말라

편하게 살기위해 황금이
필요했던 것

불 꺼진 길에서 서성이는
실종된 도덕을 만들지 말라
길 잃은 미아는 무섭다

부추기는 욕심과
주도하는 욕망은
이해할 수 있는 범위 내에서
끝내 달라

다만 제어할 수 없는 감정이 있다면
나와 같이 사는 사람들의 행복이
되묻지 않는 메아리처럼
선량하게 넓고 멀리 퍼져라

더럽고 치사한 어둠의 세계는
새벽안개가 걷히면
죽은 영혼은 숲으로 숨어 버리고
산 자들의 의식이 햇빛 속에서 꿈틀거린다

바다의 생명을 거머쥔
플랑크톤처럼
원하는 것을 얻기 위해
활보하는 행인들의 핸드폰 벨 소리
주머니 속 열악한 지갑은
입 벌린 악어에게
붙잡힌 얼룩말의 본능 같은 것

잠에서 깨어났을 때
달라져 있는 천국의 궁전 안에서
살게 해 달라

꽃은 시들어도 별은 지지 않는다

마주 보며

마주 보며 인사해요
그대의 친절함을 좋아합니다

마주 보며 웃어주세요
그대의 미소는 아름답습니다

마주 보며 손잡아주세요
그대의 눈빛은 진실합니다

마주 보며 안아주세요
그대의 마음이 나에게 전해지도록

마주 보며 귓가에 속삭여 주세요
그대의 진실한 목소리가 잘 들릴 수 있도록

마주 보며 고백해 주세요
그대가 나의 마지막 사랑입니다

그대의 아픔보다 지켜보는 사랑이 더 아프다

눈먼 자여 눈을 떠라
그대는 볼 수 있다
말 못하는 자여 입을 열어라
그대는 말할 수 있다

걷지 못하는 자여 걸어라
그대는 걸을 수 있다

고통에서 벗어 날 수 없고
아파서 견딜 수 없다는 것도 안다
그러나 그대의 아픔보다
지켜보는 사랑이 더 아프다

참고 견디어 일어서라
병마의 고통도 다가서는 죽음도
그대의 의지를 꺾지 못하리라

그대는 살 수 있다
그대는 살 수 있다

꽃은 시들어도 별은 지지 않는다

빗물

차디찬 바람이
낯선 거리에서
휘파람을 분다.

차창 밖에서
울고 있는 빗방울들
더는 슬퍼하지 말자

흘러내리다
주저하듯 멈춰버린 너에게
또다시 떠밀려 굵은 빗방울이 되었다

내 마음 가는 데로 사랑하지 못하고
내가 가고 싶은 곳으로 가지 못하는
내 모습과 너는 너무 닮아 있다

Moon light

달빛에 잠든 어둠이여
긴 잠에서 깨어나라

살아온 시간
조각난 꿈들은

순간을 이어 붙여서
하루가 되고 그 일 년을 이어 붙여서
영원을 노래하리라

한 점의 바람도
지나칠 수 없는 세월의 언덕 넘어
나의 그리움들에
두 손 모아 불러 본다

어둠을 밝히는 달빛이여
그곳은 정녕 고통 없는 세상입니까
진정 나의 죄로부터 자유를
얻을 수 있습니까

꽃은 시들어도 별은 지지 않는다

강물에 잠긴 나무 한 그루

강물에 잠긴 나무 한 그루
고개를 떨군 채 슬피 운다

모진 비바람에도 꺾이지 않았던 것은
마지막 남은 나의 자존심이었다

손가락이 부러진 곳에는 봄이 오면
치유의 싹이 돋을 것이며

발밑에 지반이 무너져 뿌리를
들어내어도 약속이라도 한 듯
나를 꼭꼭 밟아줄 사람이 올 것이라 믿는다

나는 쓸어 지지 않는다
나의 기나긴 세월을 포기하지 않겠다

운무 (雲霧)

숲이여! 침잠하여라
하늘의 구름은 들어라
말없이 지나가거나
모르는 척 흘러가라

차가운 은색 비늘을 온몸에 휘감고
음습한 늪을 지나 숨 한번 크게 쉬고서
흐르는 강물을 따라서 유영을 멈추지 않는다

시야를 가려 버린 운무 속에서
서서히 숲 속의 정령들을 깨운다
비가 내린 후 더욱 간절해지는 법
냉정하며 차가웠던 시선들은
동정을 바라지 않고
숲 속의 기운을 모두 빨아들이고
또다시 하늘에 오를 준비를 한다

운무가 없다면 더는
하늘에서 허락한 용이 되지 못한다

꽃은 시들어도 별은 지지 않는다

기도의 눈물

진정
물 한 방울이 생명이 되고
바다를 이루는 것입니까

진정
땀 한 방울의 수고가
값진 열매를 거두고
임하는 곳에서 이루게 하시는 겁니까

진정
피 한 방울도 헛되게
하지 아니하고
사랑으로 온전하게 하시는 겁니까

신이시여
나의 눈과 마음을
어둡지 않게 하시고 밝게 비추소서
고통 없이 살게 하소서

포도의 향기

붉은 루비가 되지 못하고
흐린 하늘에 갇혀 버린 포도의 향기
완전하지 못한 채
살아가는 나였고 너였다

마셔 버리면 끝날 것 같은
너의 하루가 곧 끝날 것 같지만
가면을 쓴 무도회처럼 끝끝내
자신을 드러내지 못했다

어둠이질 때 넝쿨 속에서 안개비를
기다리며 매혹적인 키스를 나눈다

찬바람에 고혹한 포도 향기가 이리저리
춤을 춘다

독을 품은 초록 뱀 한 마리
수풀을 헤집고 순결한 여인의
가슴속으로 파고든다

붉은 겨울 장미

그대로 인하여
내 영혼은 꺼져가는 촛불이 되었습니다
가혹하게 돌아선 그 시선이 두렵습니다
눈 속에 파묻힌 채로
울고 울었던 한 남자의 가슴 아픈
순정임을 알고 있나요
그대를 너무 사랑했다는
것만 알아주세요
내 가슴을 찢어 놓고 가버린 사람
내 눈물 얼어붙은 채로
차디찬 바람 되어 냉정하게 돌아선 사람
눈이 내릴 만큼 내리고 내려서 쌓였건만
그칠 줄 모르는 이 눈 속을 걸어갑니다
나는 흰 눈이 되어 흐린 하늘을 순백으로
물들이고 물들이고
그대는 붉은 사랑으로 더 붉게
물들이고 물들이고
한 송이 순백의 흰 눈 덮인 그 붉은 겨울 장미
떠나보냅니다

헌책 한 권

낡고 빛바랜 헌책 한 권
지나간 인생

그 흔적 속에서 소년은 중년 신사가 되고
어린 소녀는 엄마가 되었다
노화를 막지 못해 숨이 버거운 인생길에
말동무가 필요하다

하루가 저물면 한 장의 페이지를 넘기고
웃고 울던 날 또 한 장을 넘기다가
그 자식들은 장성하여 군대 가거나 시집가고
또 한 장을 넘겼더니

이제는 홀로 남아 외로움만 가득하다
헌책 한 권! 지나간 시간
서고의 한자리 맨 구석에
꽂혀 있었어도
다정한 친구여
너 때문에 정말 행복했었다

꽃은 시들어도 별은 지지 않는다

남겨진 사랑 두고 간 마음

이 밤이 깊어 갈수록
편안했던 것은 그대가 내 곁에
남아 있었기 때문이었다

삶의 등 뒤에서
언제 엄습해 올지 모르는
불안한 느낌처럼

너의 단점까지 수용하기가
나의 모자란 인격 탓이었다

좁은 골목길에 작은 계단처럼
볼품없고 초라했을지라도
희미한 불빛 속에
너를 지키는 가로등만은

모두 잊거나 지울 수 없는
남겨진 사랑
두고 간 마음이었다

꽃은 시들어도 별은 지지 않는다

사랑하는 그대여
나에게 이 세상에서 가장 아름다운
꽃이 되어 주세요

가시를 감춘 장미가 되어도 좋으니
오직 내 곁에만 있어 주세요
사랑은 따뜻하고 이별은 차갑습니다

화려하게 웃는 날이 있으면
슬픔 속에서 밤을 지새우는 날들도 있습니다

지나간 아름다운 기억 속에서
생명을 다한 사랑들이 시들어 갑니다

꽃처럼 아름다운 그대여

오늘이 가기 전에
그대와 함께 저 하늘에 영원히
지지 않는 별이 되겠습니다

5
부

눈앞에 보이는
모든 것들이 행복이었다

안개꽃

그대 알수록 편안합니다
그대 볼수록 다정합니다

멀리서 바라볼수록
흰 별들이 어둠 속에서
반짝거리다가

숲 속의 맑은 공기를 마시며
겹겹으로 쌓여 있는
낙엽을 밟으며 걸어갑니다

서서히 숲 속을 에워싸는
안갯속에서
편안하고 다정스럽게
다가오는 그대는

흰 눈보다 하얀
아름다운 안개꽃입니다

저 건너편에

저 건너편에 내 사랑이 산다
화장을 안 해도 예쁜 사람
머리맡에 나를 눕히고 쉬게 해주는 사람

저 건너편에 내 사랑이 산다
매일 전화를 하고 사랑한다고
환한 미소로 웃어 주는 사람

저 건너편에 내 사랑이 산다
두 손을 잡고 함께 거닐며
눈과 입술에 키스를 해주는 사람

저 건너편에 내 사랑이 산다
해가 저물고
온 세상이 잠들어도
보고 또 보아도 보고 싶다는
그 한 사람이 산다!

오늘 아침을 기대해

아침이 밝아오기 전에
어제의 고통에서 벗어나게 하소서

모든 거리를 안전하게
걷게 하소서

창조하신 하늘에 우리의 기도가
미치게 하시고
세워놓으신 이 땅에 성령이
임하게 하소서

신께서 허락하신 세계에
지평을 열어 모두가 사랑 안에서
살게 하소서

그 처음과 마지막에도
변함없는 하늘과 평온한 바다가
되게 하소서

너를 닮은 하늘 그 하루 나였으면 좋겠다

보기만 해도 기분 좋아
너를 닮은 하늘

그 하루 나였으면 좋겠다

커피 한잔 들고서
매일 거닐던 길가에 단풍이 진다

보기만 해도 기분 좋아
너를 닮아 가는 내 모습

그 하루
나였으면 좋겠다

비슷하거나 달라진 거 없는
평범함 속에 너와 나

보기만 해도 생각만 해도
기분이 좋은 사람

눈앞에 보이는 모든 것들이 행복이었다

평온해져라!

보이지 않는 사랑이 얼마나 대단한지

느껴 보자

보이지 않는 침묵이 얼마나 소중한지

말없이 살아보자

저 푸른 들판 위에 한 그루 나무를 보라

보이지 않는 사랑 안에서 소중한 침묵이다

초조하고 불안했던 마음은 사라지고

마음속에 평온함이 깃든다

아주 가까운 곳에서 찾을 수 있는

행복이다!

사랑이 사랑에게

얼마만큼 사랑할 거야
언제까지 사랑할 거야
전혀 유치하지 않아요
확인하고 싶은 마음보다
영원히 사랑하고 싶은 겁니다

아무리 생각해봐도
네가 없는 인생은 생각할 수가 없어
순위가 없는 내 마음의
전부입니다

자주 보면 좋지만, 너무 떨어져
있으면 어색할 거 같아
원만한 서로를 위해
적당한 간격과 조절이 필요합니다

함께 먹자
함께 볼래
함께 가자
서로의 가치는 달라도
함께 하고 싶은 마음은 같습니다

애정의 날씨
오늘의 하늘은 매우 맑고
내일의 사랑도 변화가 없습니다

눈앞에 보이는 모든 것들이 행복이었다

양보

우리는 서로를 위해
얼마만큼 믿음 안에서
마음을 내어주고 살까?

우리는 서로를 위해
얼마만큼 마주 보는 길에서
비켜 주고 살까?

우리는 서로를 위해
얼마만큼 양보하며 알아가고 있을까?

깻잎 화분

밭에서 사는 너를 화분으로
옮겨놓았다

초록 향기
그 모습에 취해서
내 안에 두고서 아껴주고 싶었다

밭이 아니라서 단 한 번도
불평해본 적 없다

그 잎이 필요해서 한쪽 팔을 끊어내어도
아프다고 운 적도 없다

떠다니는 구름아
나의 초록 향기 그립지 않더냐

눈앞에 보이는 모든 것들이 행복이었다

나에게도 행운이 올까요

나에게도 행운이 올까요

시작된 여름의 뜨거움은 차가운 소낙비로
식어가듯 지루했던 날들은 즐거운 날들로
채워집니다

원하는 것을 이루기 위해서는 기다림이란
인내의 강을 건너야 합니다

나에게도 행운이 올까요

어둡고 외로운 길을 홀로 걸어가는
인생의 한가운데서
가장 행복한 순간을 느끼게 해주는
그대야말로 나에게 커다란 행운입니다!

오늘 하루도 그대 생각에
가슴이 벅차오릅니다

산 그 높은 산

구름 한 점 없는
푸르른 하늘에 시를 적는다

가다 보면 원하는 곳에 서 있겠지
걷다 보면 끝에 다다르겠지
바람 따라가다가 걷다 보면

그 높은 산
더 높은 구름과 하늘
그보다 더 높은 침묵과 사랑을 하겠지

산 그 높은 산

산속에 또 산이 산다

눈앞에 보이는 모든 것들이 행복이었다

아침 향기

아무 말 하지 마세요
당신의 사랑이 느껴집니다

어떤 말로도
대신할 수 없다는 걸 알아요
당신의 헌신이 느껴집니다

필요한 것을 말해 주세요
어떤 것도 바라거나 요구하지 않습니다

그대와의 영원한 삶을 위하여
그 누구보다도 빈틈없는 하루를
보냈습니다

은은하며 포근한 향기 속에서
떠오르는 아침 햇살처럼 빛나는
오늘입니다

우리 글 한글이여

한 글자 한 글자 소리 내 읽을 적마다
한 글자 한 소절 또박또박 적을 때마다
한 글자 한 음절 마음으로 느낄 적마다

한없이 위대하며
한없이 신비하며
한없이 경이롭고
한없이 소리내어

읽고 쓰고 다시 불러 보아도

수만 가지 감정의 항해 속에서
두 번 다시 오지 않을 창조의 세계 속에서

이런 위대한 글자를 영원히 만나지 못하리라!

눈앞에 보이는 모든 것들이 행복이었다

그대를 위한 세상

내 사랑이여
저 산들의 아름다운 등선을 따라서
오세요

아무 생각도 하지 말고
속한 곳에 대한 미련도 아쉬움도
갖지 말아요

내 사랑이여 눈을 감아요

새로운 세상의 아름다움을
느껴 보세요

포근한 눈빛
고요하고 다정한 목소리
넓고 큰 가슴
부지런한 손
책임감 있는 발걸음
나는 그대를 위한 세상입니다!

희망

그대 보이지 않을 때까지
가는 길을 향해 손 흔들어 주자

볼 빨갛게 뛰어놀던 아이들도
밝은 웃음소리만 남겨놓고 떠나 버렸다

같이 살던 이웃들도 밥 향기 속
옛 추억들로 사라지고
허리 꺾인 한 마리 새우처럼
달은 기운다

삶의 밝음이란
내가 걸었던 시간만큼
내가 웃었던 시간만큼
희망으로 빛나는 것

눈앞에 보이는 모든 것들이 행복이었다

기도의 단상

무엇을 망설입니까
무엇을 주저합니까
무엇을 원망합니까

남김없이 고백하십시오

무엇이 부족합니까
무엇이 어렵습니까
무엇이 미혹합니까

모든 것을 채워 주십니다

무념

남의 인생 의식하지 말자

남의 재산 관심 두지 말자

남의 생각 신경 쓰지 말자

남의 사랑 비교하지 말자

나에게 속한 모든 것을 소중하게 여기듯

스스로 정한 모든 것을 사랑하면 된다!

눈앞에 보이는 모든 것들이 행복이었다

길을 가다가

길을 가다가
아주 예쁜 사람을 만났다
이름 없는 미명의 꽃이었다

푸른 눈의 이 소녀는
봄바람에게 편지를 쓰고 있었다

사월에는 몹시 힘들었을 거야
나도 너처럼 나를 힘들게 하는
거센 바람이 나를 꺾을 수도 있었어
하지만
별 밤 하늘이 이렇게 말을 하는 거야
내일은 너를 위해 비를 내릴 거야

잘 견뎌준 너에게 고맙다!

길을 가다가
아주 좋은 친구를 만났다
이름 없는 꽃! 내 친구여

그냥 니 목소리 듣고 싶었어

무작정

어떤 말도 남기지 않은 채로 바다에 왔다

너로 인한 슬픔

그 기억들을 지우고 싶었다

어쩔 수 없는 운명 같은 시간

한 학기 수업 끝나고 지쳤을 때

조용한 음악처럼 다가온 사람

맨발로 비 내리는 해변을 걷고 있는데

그 사람에게서 전화가 왔다

그냥 니 목소리 듣고 싶었어

눈앞에 보이는 모든 것들이 행복이었다

위로

위로 앞에서는 나는 벙어리가 된다

그 사람이 어떻게 사랑하고

어떻게 이별했는지 모르기 때문이다

단지

지금 겪고 있는 그의 슬픔이 사 묻히게

아프다는 것과

견딜 수 없이 그립 다는 것

너라는 사람

너라는 사람
내가 찾았던 사람

너라는 사람
내가 원했던 사람

너라는 사람
내가 기다렸던 사람

너라는 사람
운명의 바람에 실려
나에게 다가온 사람

들길을 따라서
향기로운 꽃으로
아름답게 피었네

눈앞에 보이는 모든 것들이 행복이었다

호밀 빵에게 말한다

쌀은 쌀쌀해
빵은 빵빵해

잠깐이라도 내 앞에서 웃어 주길 바래
온순하게 생긴 너에게

치즈의 담백함까지 기대하진 않을게
어제는 유난히 외롭더라

가을비가 내리고 정말 쌀쌀해졌어
겨울 잠바를 꺼내야 할까 봐

쌀은 말이야
사실 너보다 더 소중해
미안하지만 가끔씩만 먹을게

우리 가끔씩만 만나자
자주 보면 질리거나 싸울 것만 같다

더 사랑할게 더 잘해줄게

보기만 해도
기분 좋은 사람

편안한 아침
차분한 저녁

예쁜 옷을 입고
수수한 화장을 하고
그 입술로 말을 건네는
소중한 사람

더 사랑할게
더 잘해줄게

상추꽃

모른 척하지 마세요
한입 쌈장에 사라져도
그대의 오늘 밤을 기억하겠습니다

안다고 잘난 척하지 않겠습니다
나보다 잘난 양상추와 배추도 있으니까요
그러고 보니까
나의 매혹마저 강한 향기로 섞여서
지워 버리는 깻잎도 있네요

내세울 것 없고 잘난 것 없는 흔한 상추랍니다
하지만
고기를 먹을 때만큼은
그대의 소화를 돕는 상추입니다

멀지 않은 곳에서
쉽게 구할 수 있는 나이지만
때로는 소중할 수 있어서 다행입니다

인생 지우개

아픈 기억 그 상처
깨끗하게 지워 버리자

못다 한 사랑 그 미련
깨끗하게 지워 버리자

이루지 못한 꿈 그 좌절
깨끗하게 지워 버리자

우리에게 필요한 건
다시 쓰고 고쳐 쓰는
나만의 인생 지우개

하나쯤은 마음의 필통에 넣고 다니자

다음 미래는 연필에게 맡기고서

나의 어깨에 기대어

나의 어깨에 기대어
지친 마음 쉬어 가세요
사람이 사람에게 상처를 주고
아픔의 흔적을 남깁니다
우리는 삶에 있어
믿음 안에서 자유롭지 못합니다

나의 어깨에 기대어
눈을 감고 잠들어 보세요
그대를 괴롭히는 어떤 고통도
시련의 아픔도 사라질 거예요

나의 어깨에 기대어
지나간 시간을 돌이켜 보세요
사람이 사람을 사랑하고 산다는 건
인연을 가장한 각별한 운명

나 스스로를 위하고
내가 선택한 사랑을 위하다

행복한 순간들

그대 나와 함께 하는 날

다정한 순간
그대 네게 입을 맞추고
손을 잡고 걷는 길

소중한 순간
그대 네게로 오는 길

온종일 비가 내리거나
모진 바람에 모든 낙엽들이 떨어져
하얀 겨울이 되고서
온 하늘을 흰 눈으로 덮을지라도
나름의 의미와 이유가 있었던 것

행복을 얻기 위해
시간이 필요했던 것

눈앞에 보이는 모든 것들이 행복이었다

꿈의 서시

지금
네가 서 있는 곳에서 눈을 감고
의식의 환영들을 보라

더없이 너는 소중하다!

지금
네가 생각하는 곳에서
눈을 감고 참회의 시간으로
자신을 회고해 보라

더없이 너는 평화롭고 자유롭다!

지금
네가 잠든다는 것
다시 산다는 것
무의식 속의 깊고 넓은 여행

더없이 너는 각별하다!

매일 같은 이별도 없고
같은 사랑도 없을 것이며

매일 다른 꿈을 꾸어도
꽃은 피고 질 것이며

그 별의 노래는 새벽이 되고
바람이 된다

슬프면 울어라
너의 꿈이 빛을 잃어 방황하지 않도록

기쁘면 웃어라
너의 꿈들이
마음에서 쉽게 무너지지 않도록

눈앞에 보이는 모든 것들이 행복이었다

가을의 시인

밤하늘의 별빛 속에 스며드는
가을의 시인이여

시상의 깊은 바다를 건너
잠을 이루지 못하는
불면의 노트한 권과 새벽을 깨우는
붓 하나로 이제서야 시 한 편을
남겼습니다

참된 사람에서 참된 시인으로
살아가는 것은

눈앞에 보이는 모든 것들이
행복이고 느낄 수 있는 모든 것들이
사랑이기 때문입니다

밤은 깊고 바람은 차가울수록
따뜻한 사랑이고 행복입니다

시간이 흐르고 흘러간 뒤에

보이는 것이 전부가 아니라고
부정하고 싶을 때 방랑의 길을 떠나자

깊은 고민에 사로잡혀 현명한 지혜를
얻고 싶을 때 방황의 길을 떠나자

돌부리에 걸려 넘어졌다
일어서기를 반복하다 보면 피멍에 찌든
인생의 비탈길을 지나 숨이 턱까지 차오르는
정상을 만난다

정한 길을 따라서 걷다 보면 해가 지고
어두워지듯이 그대의 방랑은 끝이 보인다

지울 수 없는 외로움의 시작도
견디기 어려운 고통의 시간도
해답을 얻기 위한 방황이 필요하다

시간이 흐르고 흘러간 뒤에
비로소 진정한 나를 만나게 된다

눈앞에 보이는 모든 것들이 행복이었다

눈앞에 보이는 모든 것들이 행복이었다

가로수길
슬픈 연인들 사이로
떨어지는 낙엽

떨어져 있어야
소중함을 알고
시간이 흘러야만
알 수 있는 행복

어둠을 지워낸 기억들이
별빛에 춤을 춘다

너무 아름답거나 기쁨이
넘치는 것은 오래가지 못한다

간직하지 못한
안타까운 이별

회복을 위한 기다림 끝에
새롭게 다가온 사랑

들꽃의 향기에 실려
언덕 위에서 바람을 부르면

눈앞에 보이는 모든 것들이
행복이었다